互动版
数学帮帮忙

漫长的等待

【美】安妮·考博◎著
【美】丽萨·伍德拉夫◎绘
范晓星◎译

天津出版传媒集团
新蕾出版社

图书在版编目 (CIP) 数据

漫长的等待/(美)考博(Cobb,A.)著;(美)伍
德拉夫(Woodruff,L.)绘;范晓星译.-- 天津;新蕾
出版社,2015.9(2024.12 重印)
(数学帮帮忙·互动版)
书名原文:The Long Wait
ISBN 978-7-5307-6266-0

Ⅰ.①漫… Ⅱ.①考…②伍…③范… Ⅲ.①数学–
儿童读物 Ⅳ.①O1–49

中国版本图书馆 CIP 数据核字(2015)第 199030 号

出版发行 : 天津出版传媒集团
       新蕾出版社
http://www.newbuds.com.cn
地　　址 : 天津市和平区西康路 35 号(300051)
出 版 人 : 马玉秀
电　　话 : 总编办 (022)23332422
       发行部 (022)23332679　23332351
传　　真 : (022)23332422
经　　销 : 全国新华书店
印　　刷 : 天津新华印务有限公司
开　　本 : 787mm×1092mm　1/16
印　　张 : 3
版　　次 : 2015 年 9 月第 1 版　2024 年 12 月第 21 次印刷
定　　价 : 12.00 元

无处不在的数学

资深编辑　卢　江

人们常说"兴趣是最好的老师"，有了兴趣，学习就会变得轻松愉快。数学对于孩子来说或许有些难，因为比起语文，数学显得枯燥、抽象，不容易理解，孩子往往不那么喜欢。可许多家长都知道，学数学对于孩子的成长和今后的生活有多么重要。不仅数学知识很有用，学习数学过程中获得的数学思想和方法更会影响孩子的一生，因为数学素养是构成人基本素质的一个重要因素。但是，怎样才能让孩子对数学产生兴趣呢？怎样才能激发他们兴致勃勃地去探索数学问题呢？我认为，让孩子读些有趣的书或许是不错的选择。读了这套"数学帮帮忙"，我立刻产生了想把它们推荐给教师和家长朋友们的愿望，因为这真是一套会让孩子爱上数学的好书！

这套有趣的图书从美国引进，原出版者是美国资深教育专家。每本书讲述一个孩子们生活中的故事，由故事中出现的问题自然地引入一个数学知识，然后通过运用数学知识解决问题。比如，从帮助外婆整理散落的纽扣引出分类，从为小狗记录藏骨头的地点引出空间方位等等。故事素材全部来源于孩子们的真实生活,不是童话,不是幻想,而是鲜活的生活实例。正是这些发生在孩子身边的故事,让孩子们懂得,数学无处不在并且非常有用;这些鲜活的实例也使得抽象的概念更易于理解,更容易激发孩子学习数学的兴趣,让他们逐渐爱上数学。这样的教育思想和方法与我国近年来提倡的数学教育理念是十分吻合的!

这是一套适合5~8岁孩子阅读的书,书中的有趣情节和生动的插画可以将抽象的数学问题直观化、形象化,为孩子的思维活动提供具体形象的支持。如果亲子共读的话,家长可以带领孩子推测情节的发展,探讨解决难题的办法,让孩子在愉悦的氛围中学到知识和方法。

值得教师和家长朋友们注意的是,在每本书的后面,出版者还加入了"互动课堂"及"互动练习",一方面通过一些精心设计的活动让孩子巩固新学到的数学知识,进一步体会知识的含义和实际应用;另一方面帮助家长指导孩子阅读,体会故事中数学之外的道理,逐步提升孩子的阅读理解能力。

我相信孩子读过这套书后一定会明白,原来,数学不是烦恼,不是包袱,数学真能帮大忙!

售票处

惊险谷游乐园

飞天大魔虫

　　乔什和扎克来到惊险谷游乐园。他们最
想玩的就是飞天大魔虫了。朋友们都说，这是
最最刺激的项目！

3

其他人也都想坐飞天大魔虫，队伍排得很长。乔
什不愿意等，扎克正好相反。

"咱们永远也排不上了。"乔什说。

"不会的。"扎克说,"我们只要等几分钟就行。"

这时，队伍向前移动了。可乔什和扎克正争得不可开交，根本没注意到。后面的小姑娘可注意到了，赶紧提醒他们。

"看吧，不会等很久的。"扎克说。

队伍又停了下来。

"瞧，跟你说过吧，永远也轮不到咱们。"乔什说。

扎克也不得不承认，这条队伍实在是太长了。

　　他问道："你觉得咱们前面有多少人？"

　　"我不知道，但肯定很多。"乔什回答，他随便猜

了一下，"没准儿有好几百人呢。"

　　"咱们来算一算吧。"扎克说,"我们这行有 10
个人,嗯,大概有 6 行,所以我估计有 60 人。"

　　"我说好几百人,你说 60 人。"乔什说,"我去
数一数。"说完他就跑掉了,还冲扎克喊道,"帮我
占着队!"

　　乔什跑到队伍最前面,数了起来,一共57人。

　　他刚要转身回去排队,却看到了一个玩悠悠球的人。乔什不记得刚才数过这个人,可能是数漏了,他可能还漏掉了其他人。他最好再数一遍。

等他回到扎克身边时，队伍又开始往前移动。

　　"你怎么数了那么久？"扎克问。

　　"我数了两遍。"乔什说，"第一遍57人，第二遍62人！所以你的60人猜得很准，比我准多了。"

这时，空中突然传来一阵吓人的嗡嗡声。他们抬头望向飞天大魔虫。人们坐在大魔虫的腿里。只见大魔虫一边旋转，一边忽上忽下地摆动着它的腿。

"太好玩儿了！"乔什说。

"太刺激了！"扎克说。

"咱们来估算一下上面能坐多少人吧。"
扎克说。

"你先猜。"乔什说。这一次，乔什要仔细
想一想了。

13

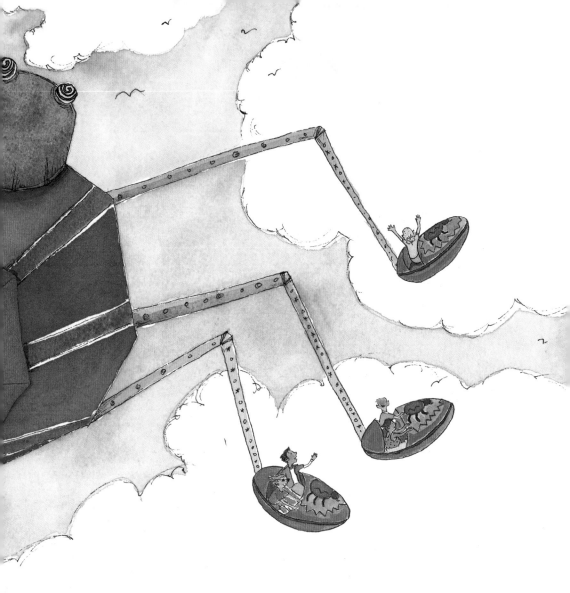

　　"咱们看一看啊。"扎克说,"大魔虫有 6 条腿,每条腿上能坐 2 个人。2 乘以 6 是 12,所以,我猜 12 个人。"

　　"可说不定有的腿上只坐了 1 个人。所以我猜人数在 6 到 12 之间,我猜是 9。"乔什说。

　　"我去数一数!"他对扎克喊,"帮我占着队!"

乔什跑到出口，他看到人们从飞天大魔虫上下来了。他们看起来一个个眉飞色舞。"太棒啦！"一个人说。"我的心还怦怦跳呢！"另一个人说。

人们往外走时，乔什一个个地数着："8……9……10。我猜得更准！"乔什自言自语，刚才他猜了9人。

乔什回来的时候，队伍看上去还是很长。"我们在这里都排了好久了。"他抱怨道。

　　"是我在这里排了好久！"扎克说，"你才排了几分钟。"

　　"那你觉得咱们还要等多久？"乔什问。

　　"咱们看看坐一次要多长时间。"扎克说，"然后就能算出来了。"

伴着一阵炫目的灯光，飞天大魔虫徐徐降落。乔什看了一下手表，时间是1：20。灯又一次亮起时，乔什再看看手表，时间是1：25。

"坐一次大约要5分钟。"他说。

　　乔什看了看队伍，说:"现在咱们前面差不
多有 40 人。"

　　"如果一次上去 10 个人的话，"扎克说，"就
是 4 次。"

　　"每次 5 分钟。"乔什说。

　　"所以咱们还得等大约 20 分钟。"扎克估计
着。

　　"那我还有时间去买汽水喽！"乔什说，
"帮我占着队！"
　　乔什回来的时候，没有看到扎克。
　　"在这里！"扎克喊。

"太好啦！咱们离队首越来越近了。"乔什说着，他几乎能想象出自己坐在飞天大魔虫上的样子了。"你觉得它有多高？"他问。

"嗯，"扎克说，"看上去有 3 个激流艇摞起来那么高！"

"我的天！"乔什说，"我敢说坐在上面，你能把整个游乐园尽收眼底了！"

嫁给我吧，苏菲！

激流艇
惊心动魄！
最高处达12米！

　　这时，队伍又往前移了。现在他们前面只有 8 个人了。

　　"下一次就轮到我们了，乔什！"扎克说，"咦，乔什呢？"

　　扎克身后的小姑娘拍拍他的肩膀，告诉他："你那位同伴说了，帮他占着队！"

乔什又跑掉了！差不多要轮到他们了。要是他到时回不来怎么办？说不定他们还要回到队尾重新排起！

乔什到底去哪儿了？

　　原来乔什正和机器人聊着呢，那是他最喜欢的大
英雄，他还拿到了签名。

又一阵炫目的灯光亮起，飞天大魔虫降落了。乔什还是没回来！好不容易等了这么久！这队绝不能白排了，那简直是一场噩梦。

入口的门开了。"乔什！"扎克扯开嗓门儿大声喊，"乔什！"

乔什不知从哪儿冒了出来。他手里挥舞着两张机器人签过名的餐巾纸。

　　"看！"他大声喊，"我拿到机器人的签名了！"

　　"你刚才和机器人在一起？"扎克说，"真棒！"

　　"快走呀！"他们后面的小姑娘催起来了，"你们还等什么呢？"

　　"没等什么！"乔什和扎克异口同声地喊道。他们冲进了入口。

乔什和扎克在惊险谷游乐园上空转呀转呀。他们等了这么久，值得吗？

那还用说！

估 算

估算有很多种方法：

1.这棵树有多高？

↕ 5 英尺

嗯,这棵树差不多有 3 个小孩儿那么高。
5+5+5=15

这棵树有 15 英尺高。

（提示:利用已知条件） （注:1 英尺约合 0.3048 米）

2.每行大约有 10 个人,共有 6 行,总共大约多少人？

10,20,30,40,50,60

大约 60 人。

（提示:10 个 10 个地数）

3. 一条长椅可以坐下 2 到 3 个人。共有 4 条长椅,一共可以坐下大约多少人？

2+2+2+2=8
3+3+3+3=12

大约可以坐 8 到 12 人。

（提示:用最少的人数和最多的人数分别估算）

4.烤一盘饼干大约需要 9 分钟,烤 4 盘饼干需要多久？

9 四舍五入是 10。
10+10+10+10=40

大约需要 40 分钟。

（提示:用四舍五入的方法）

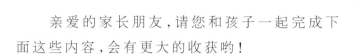

亲爱的家长朋友,请您和孩子一起完成下面这些内容,会有更大的收获哟!

提高阅读能力

- 请孩子看看封面上的书名。和孩子聊聊,哪些情况下他需要等待很久?让孩子猜猜看,两个小主人公在等什么?

- 在第 12~13 页,请孩子注意"估算"这个词。告诉孩子,乔什和扎克是在利用他们知道的信息来估算和检验自己的猜测。请孩子想一想,估算和随便猜,就像第 7 页上乔什做的那样,有什么不一样?

- 读完这个故事,请孩子画出他自己认为值得等待的事情。鼓励孩子去估算一下他为此需要等待多久。

巩固数学概念

- 边读故事,边和孩子一起检查小主人公的估算是否正确。
- 参考第 32 页,和孩子讨论扎克和乔什用了哪些估算的方法。请孩子分辨估算的对象:排队的人数,每次乘坐的人数,每次乘坐的时间,飞天大魔虫的高度。
- 让孩子在故事中找出和时间有关的关键词,在卡片上写下来,并试着用每个词造句,再想想看还有什么和时间有关的词。

生活中的数学

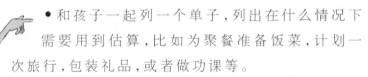

- 和孩子一起列一个单子,列出在什么情况下需要用到估算,比如为聚餐准备饭菜,计划一次旅行,包装礼品,或者做功课等。
- 请利用第 32 页的几种方法,让孩子估算一下房间里各个物品的长度和高度。

这是我和扎克一起赢得的游戏币，大约有多少枚呢？你能估算出来吗？

每摞游戏币有 4~7 枚不等。我们可以按（　　）枚一摞来估算，一共有（　　）摞，所以游戏币大约有（　　）枚。

路灯高 3 米。激流艇最高处有 12 米，大约有（ ）个路灯那么高。

我的 1 支彩笔长 8 厘米，书桌大约有 10 支彩笔那么长，书桌大约长（ ）厘米。

1 把凉伞下可以坐 3~5 人,5 把凉伞下大约可以坐( )人。

1 分钟内我能投进 6~7 个篮球。每局游戏 5 分钟,我最多能投进( )个,最少也能投进( )个!

1 辆游园车可以坐 8~10 人,2 辆车大约能坐( )人。

激流艇出发了！每场需要 11 分钟，每个场次的时间间隔 8 分钟。我们要等 3 场才能轮到。你能估算出我们大约要等待多久才能开始玩吗?

1 份汉堡套餐的价格从 18 元到 22 元不等。我和乔什每人吃 1 份。我现在有 50 元，够吗?

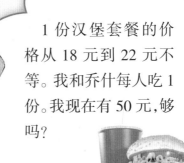

还有 30 分钟扎克就要来找我去踢球了,可是我还有好多事情没有做呢!

洗脸需要 3~4 分钟,刷牙需要 3~4 分钟,吃饭需要 10~15 分钟。乔什的时间够用吗?

距下一场电影开始还有 2 个小时,妮娜什么时候来呀?

妮娜说来之前她要先去学校拿本书,大约需要 40~50 分钟。然后,她要去超市买饮料,大约需要 30~40 分钟。

妮娜能在电影开始前赶到电影院吗?

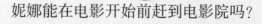

　　乔什和扎克正在排队等待玩过山车。可是，还有20分钟才能轮到他们!扎克可不愿意这样无聊地等待。下面5件事中，他要完成其中3件，你能帮他选一选吗? 记住,扎克只有20分钟,不要超时哟!

买冰淇淋	2 分钟	去洗手间	3 分钟
和机器人合影	6 分钟	看变魔术	7 分钟
玩大力锤	13 分钟		

　　你能想出几种方案呢?

参考答案

互动练习1：
每排大约有(20)人，一共有(4)排，大约一共有(80)人。

互动练习2：
我们可以按(5)枚一摞来估算，一共有(10)摞，所以游戏币大约一共有(50)枚。

互动练习3：
①4个 ②80厘米

互动练习4：
①15~25人 ②16~20人
③最多35个，最少30个

互动练习5：
按照四舍五入的方法估算。
①激流艇玩1场约10分钟，场次时间间隔约10分钟，也就是说，激流艇从一次出发到下一次出发大约需要20分钟。乔什和扎克还需要等3场，所以还需要等60分钟才能开始玩。
②1份汉堡套餐大约为20元，两份大约需要40元，所以50元够用。本题也可以用最多钱数和最少钱数的方法进行估算。

互动练习6：
按照最短的时间和最长的时间分别估算。
①大约需要16~23分钟，所以时间够用。
②大约需要70~90分钟，所以妮娜能在开场前赶到。

互动练习7：
方案1：买冰淇淋+去洗手间+和机器人合影=11分钟
方案2：买冰淇淋+去洗手间+看变魔术=12分钟
方案3：买冰淇淋+去洗手间+玩大力锤=18分钟（本方案虽然时间够用，但较紧张，不建议采用。）
方案4：买冰淇淋+和机器人合影+看变魔术=15分钟
方案5：去洗手间+和机器人合影+看变魔术=16分钟

（习题设计：孙欣萌）

The Long Wait

Josh and Zack were at Thrillenium Park. The first thing they wanted to do was go on the Cosmic Beetle. Their friends said it was the most amazing ride ever.

Everybody else wanted to go on the Cosmic Beetle, too. There was a long line. Josh didn't want to wait. Zack did.

"This is going to take forever,"said Josh.

"No, it won't,"said Zack."We'll only have to wait a few minutes."

Just then the line moved. Josh and Zack were so busy arguing they didn't notice. But the girl behind them did.

"See, it won't take long,"said Zack.

The line stopped moving.

"See, I told you it would take forever,"said Josh.

Zack had to admit the line did seem to go on and on.

"How many people do you think are ahead of us?"he wondered.

"I don't know, but it's a lot,"said Josh. He made a wild guess."Maybe hundreds."

"Let's figure it out,"said Zack."There are 10 people in our row and, uhhh, about 6 rows. So I estimate 60."

"I say hundreds, you say 60,"said Josh."I'll go count them."As he ran off, he called back, "Save my place!"

At the front of the line, Josh started counting. He counted 57.

But as he started back, he saw a guy with a yoyo—a guy he didn't remember. Maybe he missed him. Maybe he missed other people, too. He'd better check his count.

By the time he reached Zack, the line was moving again.

"What took you so long?"Zack asked.

"I counted twice,"Josh said."First I got 57. Then I got 62! So 60 was a good guess—lots closer than mine."

A scary buzzing sound filled the air. They looked up at the Cosmic Beetle. People were riding inside the legs. The legs swooped up and down and spun around—all at the same time.

"Cool!"said Josh.

"Cool!"said Zack.

"Let's estimate how many people are on the ride,"said Zack.

"You first,"said Josh. This time Josh was going to think about his guess.

"Let's see,"said Zack."There are 6 legs—and 2 people can ride in each leg. 2 times 6 is 12, so I say 12 people."

"But maybe some of the legs have only one person. So I guess the number is between 6 and 12. I say 9,"said Josh.

"I'll go count!"he told Zack."Save my place!"

Josh went over to the exit gate. He watched the people get off the ride. They seemed very excited. "Awesome ! " someone said. "My heart is still pounding,"said someone else.

Josh counted everyone as they came out. "8...9...10. I was close,"Josh said to himself. He had guessed 9.

The line still looked long when Josh got back. "We've been here forever," he complained.

"I'm the one who's been here forever," said Zack. "You've only stood in line for a few minutes."

"How much longer do you think it will be?" asked Josh.

"Let's time the ride," said Zack. "Then we can figure it out."

There was a burst of exploding lights. The Cosmic Beetle was coming down. Josh looked at his watch. The time was 1:20. The next time the lights exploded, Josh looked at his watch again. The time was 1:25.

"The ride takes about 5 minutes," he said.

Josh peered at the line. "It looks like there are about 40 people ahead of us now."

"And if 10 people go on each time," Zack said, "that's 4 rides."

"The ride takes 5 minutes," said Josh.

"So we'll have to wait about 20 minutes," Zack guessed.

"Then I have time to get sodas!" Josh said. "Save my place!"

When Josh got back, he couldn't see Zack.

"Over here," Zack called.

"Great! We're getting near the front of the line," said Josh. He could almost picture himself on the Cosmic Beetle. "How high do you think it goes?" he asked.

"Hmmm," said Zack. "It looks about as high as 3 Supersonic Slides, stacked one on top of the other."

"Wow!" Josh said. "I bet you can see the whole park from up there!"

Just then the line moved. Now there were only 8 people ahead of them.

"We're next, Josh!" said Zack. "Josh?"

The girl behind Zack tapped his shoulder. "Your friend said to save his place," she told him.

Josh had run off again! It was almost their turn. Suppose he didn't make it in time? They would probably have to go back to the end of the line.

Where was Josh?

Josh was talking to Robotman—his favorite superhero—and getting his autograph.

There was a burst of exploding lights. The Cosmic Beetle was coming down. And still no Josh! After all that waiting! This couldn't be happening. It was a nightmare.

"JOSH!" yelled Zack as the gate was opened. "J-O-S-H!"

Up popped Josh. He was waving two napkins signed by Robotman.

"Look!" he yelled. "I've got Robotman's autograph!"

"You were with Robotman?" said Zack. "Cool!"

"Go!" said the girl behind them. "What are you waiting for?"

"Nothing!" Josh and Zack shouted at the same time.

They rushed through the gate.

Josh and Zack were spinning high above Thrillenium Park. Was it worth the long wait?

You bet it was!